AUF DIE BLECHE, FERTIG...LOS!

GABRIELE GUGETZER

AUF DIE BLECHE, FERTIG...LOS!

1 Backblech
50 Rezepte

Weltbild

Inhalt

Vorwort

Häufig werde ich als um die Welt reisende Foodjournalistin gefragt, auf welche Koch-utensilien ich in meiner Küche einfach nicht verzichten kann. Und da ich gerne anderen Kulturen in den Topf luge, wird eine exotische Antwort erwartet. Denn die Geschichte mit der Schwester meiner Oma, die so gut Holzmodel für Butter schnitzen konnte, die kennen alle schon.

»Ist es die aus Peru importierte Limettenpresse?« – »Nö.« – »Diese japanische Reibe für Wasabi-Meerrettich?« – »Nein.« – »Der Hummerscherenknacker aus Neufundland?« – »Auch nicht.« – »Oder der Boomerang, der bei dir an der Küchenwand hängt, kann man damit nicht was besonders gut hacken? Die Australier sind doch für alles zu haben …« Hoffentlich sind Sie nicht enttäuscht, denn meine ehrliche Antwort fällt schnöde lang-weilig aus. Ich brauche mein Hackebeil aus Hongkong, mit dem sich schneiden, schnip-peln, schälen und natürlich auch hacken lässt. Und ich brauche ein Backblech. Oder zwei. Denn obwohl ich rasend gerne koche, bin ich von Natur aus faul (behauptet meine Mutter). Auf einem Backblech macht sich alles wie von Zauberhand.

Auf einem Backblech kann man Brownies backen, Pommes frites, Roastbeef, Lachs im Salzteig, Pizza. Tomaten trocknen. Wie von alleine geschieht das, ab und zu guckt man mal hinein, rührt durch, macht die Ofentür wieder zu, lässt den treuen Backofen weiter arbeiten. Und wenn's schon richtig schön duftet und sich alle maunzend in der Küche versammeln, ist das Gericht fertig. Noch abschmecken, Wein öffnen, Gericht servieren, wiederhören.

Hinterher sieht die Küche dann nicht aus wie ein Schlachtfeld, sondern ist bloß besag-tes Backblech zu reinigen (das geht mit grobem Salz und Küchenpapier übrigens am besten). Gerichte vom Blech sind die absolute Wunderwaffe, wenn es schnell gehen soll – ein ganzes Kapitel finden Sie dazu im Buch. Oder wenn Sie als geborener Multi-tasker gerne mehrere Dinge auf einmal machen, zu denen nicht gehört, dem Risotto beim Garwerden zuzugucken. Der Ofen kocht, Sie machen was anderes in der Zeit. Gerichte vom Blech passen für schicke Anlässe, als warmes Abendbrot mit der Familie oder besten Freunden. Und sind besonders geeignet für alle Köche in spe, die noch gar keine Küchenpraxis haben, aber langsam zu dem Entschluss kommen, dass das Kochen ja so schwer nun auch wieder nicht ist. Recht haben sie!

Doch nicht nur Fleisch und Fisch sind perfekt fürs Blech. Gemüse bekommen durch die leckeren Röstaromen und die behutsame Garung ein ganz unverwechselbares Aroma.

Viel Spaß beim Ausprobieren!

Frech aufs Blech

Für Familie, für Freunde und für Sie: einfache, schnell gemachte und köstliche Gerichte vom Blech

F ünfundvierzig Gerichte und ein bestechendes Konzept: Das ist die verführerisch simple und einfach wunderbar umzusetzende Idee hinter diesem Kochbuch. Was Sie brauchen, ist ein Blech. Sie können es mit Backpapier oder einer Backmatte auskleiden, aber selbst das ist nicht unbedingt erforderlich. Die Zutaten kommen einfach nach und nach in die Hitze. Und der Backofen übernimmt die Zauberei der köstlichen Zubereitung. Zwischendurch wird mal durchgerührt und abgeschmeckt und fertig ist das Gericht. Wenn Sie mögen, besorgen Sie sich einen Untersetzer, der ordentlich was abkann. Damit können Sie das Gericht auf dem Blech auf den Esstisch bringen. Das ist zeitsparend und liefert den begehrten handgemachten Look, nach dem wir uns gerade so sehnen.

Das perfekte After-Work-Essen

Wer von uns kennt es nicht? Im Büro ging's heiß her, Zeit war nur für ein Sandwich vor dem Computer. Auf dem Weg nach Hause werden dafür dann schnell ein paar Zutaten im Supermarkt besorgt, denn das gemeinsame Essen mit Freunden und Familie gehört einfach zu unserem modernen Leben dazu. Das Gläschen Wein beim Kochen lässt uns entspannen, die Küchendüfte steigern die Vorfreude auf den Genuss und aus dem kleinen Hüngerchen wird langsam ein großer Appetit. Schade allerdings, dass das Schmorgericht noch lange dauern wird. Man beim Fisch höchste Konzentration anwenden muss, dass er nicht übergart. Und man bei den Zwiebelstückchen und Knoblauchwürfeln, die für das Sößchen in Olivenöl angeschwitzt werden, schnell mal den Zeitpunkt übersehen kann, an dem sie gerade noch glasig und jetzt leider schon verkohlt sind.

Lassen Sie ab jetzt einfach mal Blech und Ofen für sich kochen, wozu haben Sie sie denn!

Ofen-Know-how

Während der Kabeljau unter einer Kichererbsenkruste sicher vor sich hin gart, ohne auszutrocknen, können Sie die Post öffnen oder den Tisch decken. Stellen Sie sich je nach Rezeptangabe den Küchenwecker. Denn diese Zweigleisigkeit – der Ofen kocht, während Sie sich anderen Dingen widmen – ist bei Fleisch, bei Gemüse, bei Desserts ebenfalls fabelhaft möglich.

Viel lässt sich im Backofen zubereiten, ohne dass es vorher schon angegart, angeschwitzt, blanchiert oder angebraten werden muss. Denn er kann klassische Küchentechniken. Man kann in ihm schmoren, backen, überbacken, rösten, trocknen und grillen. Ohne einen Finger zu rühren.

Basic-Tipps

Schneidbrett, Messer, Blech – mehr brauchen Sie nicht. Einfachheit und wenig Aufwand bedeuten nicht, dass das Endresultat hinterher langweilig schmeckt. Dafür sorgen leckere Würzzutaten und ein bisschen internationales Flair. Nicht verkehrt ist ein zusammenschiebbares Blech, das sich jeder Backofengröße anpasst. Da es aus zwei Hälften besteht, passt es in die Geschirrspülmaschine. Ein beschichteter Pfannenwender kann ebenfalls in die Spülmaschine, ein Pinsel aus Silikon verteilt Saucen gleichmäßig. Omas Topflappen kommen auch wieder zu Ehren! Ein Küchenwecker lässt Sie sogar außerhalb der Küche agieren.

Das funktioniert ganz einfach: Beginnen Sie mit der Zutat, die am längsten braucht. Kartoffeln beispielsweise, eine alte Küchenweisheit, brauchen immer ein bisschen länger, als man denkt. Wurzelgemüse braucht seine Zeit. Gemüse mit einem hohen Wasseranteil wie Spinat oder Mangold sind hingegen viel schneller fertig. Auch Fisch geht fix. Solche Sachen kommen also erst später aufs Blech. Geben Sie den Langgarern anfangs viel Platz auf dem Blech und schieben Sie sie dann zur Seite, wenn die nächsten Zutaten dazukommen.

Ein bisschen Fett ist wichtig. Butter, Olivenöl, Raps- oder Sonnenblumenöl sorgen nicht nur dafür, dass die Zutaten nicht anbrennen. Sie sind auch wichtig, wenn es um die Verwertung von gesunden Inhaltsstoffen geht. Die nimmt unser Körper dann gut auf, wenn Fett im Spiel ist. Die Menge macht's – und glücklicherweise brauchen Sie nicht viel.

Ganz schön heiß hier!

Jedenfalls, wenn Blätterteig im Spiel ist. Damit er luftig und knusprig aufgeht und seine Zartheit entwickelt, braucht er ordentlich Hitze, gerne so um 220 °C. Auch ein Roastbeef mag es erst mal heiß. Ein elegantes Dessert wie der Baiserschaum Pavlova hingegen möchte Niedrighitze und ein bisschen Zeit. Pi mal Daumen …? 180 °C. Jedenfalls, wenn Sie einen relativ neuen Ofen haben, der die Temperatur gut hält. Ein Ofen, der Jahrzehnte auf der Uhr hat, heizt häufig nicht mehr so hoch oder konstant. Mit »minus 20« kommen Sie von Ober-/Unterhitze auf Umluft: 180 °C bei der Einstellung Ober-/Unterhitze des Elektroherds entsprechen 160 °C bei Umluft. Die Einstellung Umluft bedeutet, dass im Ofen heiße Luft zirkuliert. Die lässt Ihr Gericht gleichmäßig(er) garen und es geht durchaus fixer, wobei Sie bitte häufiger mal in den Ofen gucken, damit nix anbrennt. Ist Ihr Blech sehr voll, eignet sich diese Einstellung nicht.

Und sonst noch so an Tipps und Tricks?

Wenn Sie eine schöne Pasta al dente zubereiten wollen, ist der Backofen keine gute Idee. Auch bei Couscous, Quinoa & Co. macht es keinen Sinn, den Backofen einzuschalten, denn diese Getreide müssen quellen. Das geht im Ofen zwar auch, dauert aber ewig und ist allein aus Energiespargründen nicht zu empfehlen.

Auch besonders hitzeempfindliche Zutaten wie einen Thunfisch würde ich nicht auf dem Blech zubereiten, denn der Schritt von der Kruste bis zur Konsistenz des Dosenthunfischs ist einfach zu klein.

Obst mit hohem Wasseranteil ist auch keine gute Idee – aber Zartes wie Himbeeren zur Veredelung in den Ofen zu packen … davor bewahrt uns ja der gesunde Menschenverstand.

Wunderbar hingegen eignen sich Blech und Ofen für eine Resteverwertung. Kochen Sie vom Reis einfach mal die doppelte Menge, stellen Sie ihn bis zum nächsten Abend kalt und mischen ihn dann unter Ofengemüse. Klappt übrigens auch mit Pasta oder bereits gegarten Hülsenfrüchten, für die Sie noch eine schicke Veredelung à la Ofen und Hauptgericht suchen.

Noch ein Tipp: Mixen Sie sich Würzsalze. Die Basis dafür kann ein Fleur de Sel sein oder ein qualitativ hochwertiges Siedesalz (z. B. aus der Göttinger Saline Luisenhall; für diese Empfehlung bekomme ich übrigens kein Gramm Salz). Mittelmeerkräuter, Vanilleschote oder Chili eignen sich. Damit geben Sie jedem Blechgericht den letzten Schliff.

▶ *Auf dem Blech gelingt auch den Unerfahrenen mühelos ein feiner Fisch.*

... mach's dir einfach !

schnell!

Oder auch: Nix ist fix, aber
alles ist möglich … Ob Muscheln
in Weißwein, Blätterteighappen,
grüner Spargel oder eine italienische
Frittata, mit der Sie laue Abende
auf dem Balkon zelebrieren.

Lachsfilet mit Meerrettichwürze und Erbsen

Zutaten

80 g Butter
1–2 EL Meerrettich
4 EL Semmelbrösel
Salz und schwarzer
Pfeffer aus der Mühle
800 g Lachsfilet (falls
TK-Ware, dann aufgetaut)
2 EL Öl
300 g Erbsen
1 kleines Bund
frische Minze
evtl. Dill zum Garnieren

1 Den Backofen auf 180 °C vorheizen. Die Butter bis auf 1 EL mit 1–2 EL Meerrettich (je nach gewünschter Schärfe) und den Semmelbröseln verrühren, salzen und pfeffern.

2 Den Lachs auf der Unterseite mit Öl bestreichen, auf ein Blech setzen. Den Lachs auf der Oberseite mit der Meerrettichbutter bestreichen. 10 Minuten garen.

3 Währenddessen die Erbsen mit der restlichen Butter verrühren, salzen und pfeffern. Zum Lachs auf das Blech geben und noch einige Minuten mitgaren lassen, bis sie durchgewärmt sind und der Lachs durchgegart ist.

4 Inzwischen die Minze kalt abbrausen, trocken schütteln, die Blättchen mit den Fingern zerzupfen und zum Servieren über die Erbsen streuen. Den Lachs nach Belieben mit Dill garnieren.

Blech-Tipp

Auf den Wochenmärkten gibt es eine immer größere Bandbreite an Minzearten zu kaufen, von der nach Banane duftenden Bananen-Minze über die Apfel-Minze bis zur klassischen Marokkanischen Minze. Sie lassen sich prima auf dem Balkon ziehen und passen gut in den Salat oder als Zutat in erfrischende Sommerdrinks.

Mangold-Tomaten-Gemüse

mit gefülltem Ciabatta

Zutaten

1 kg Mangold
500 g Tomaten
2 EL Olivenöl
Salz und schwarzer
Pfeffer aus der Mühle
3 EL Rosinen
1 Ciabatta
150 g Fontina oder
anderer gut
schmelzender Käse
3 EL Pinienkerne

1 Den Backofen auf 180 °C vorheizen. Den Mangold kalt abbrausen. Die Stängel in 1 cm dicke Streifen schneiden. Die Blätter mit den Fingern zerzupfen. Die Tomaten vom Strunk befreien und hacken. Mangoldstängel und Tomatenstücke auf einem Blech verteilen. Das Olivenöl pikant salzen und pfeffern, über das Gemüse träufeln. Das Gemüse 15 Minuten backen.

2 Mangoldblätter und Rosinen unterrühren. Das Ciabatta längs halbieren. Den Käse in Scheiben schneiden und die untere Ciabattahälfte damit belegen. Den Käse pfeffern. Die obere Hälfte auflegen und beide Brothälften aneinanderdrücken. Das Ciabatta mit etwas kaltem Wasser beträufeln. Auf dem Ofenboden etwa 8 Minuten mitbacken (evtl. Backpapier unterlegen), bis die Mangoldblätter zerfallen sind, das Ciabatta knusprig und der Käse zerlaufen ist.

3 Zum Servieren das Ciabatta in Stücke teilen und das Mangoldgemüse durchrühren, bei Bedarf nachwürzen und mit Pinienkernen bestreuen.

Fleischbällchen

mit Zucchininudeln

Zutaten

1 altbackenes Brötchen
600 g gemischtes Hackfleisch
1 Ei
1 EL Senf
1 EL Sojasauce
1 EL Tomatenketchup
schwarzer Pfeffer aus der Mühle
Salz
2 Zucchini
8 entsteinte schwarze Oliven
2 EL Olivenöl
1 Msp. Chiliflocken
3 EL Parmesan

1 Den Backofen auf 180 °C vorheizen. Das Brötchen etwa 10 Minuten in warmem Wasser einweichen. Das Hackfleisch mit einer Gabel auflockern. Das Ei mit Senf, Sojasauce und Tomatenketchup verschlagen, pikant pfeffern und vorsichtig salzen. Das Brötchen ausdrücken, zerpflücken und mit der Eimischung in das Fleisch kneten. Mit einem Esslöffel kleine Portionen abstechen, mit angefeuchteten Händen rund formen und auf ein Blech legen. 15 Minuten backen.

2 Inzwischen die Zucchini putzen, mit dem Spiralschneider zu Spaghetti drehen. Die Oliven nach Belieben fein schneiden. Das Olivenöl salzen, pfeffern und mit Chiliflocken würzen. Die Spaghetti mit den Oliven im Öl wenden. Die Fleischbällchen ein wenig zur Seite schieben und die Zucchininudeln aufs Blech geben. 5 Minuten mitgaren lassen.

3 Alles mit dem Parmesan bestreuen und noch einige Minuten garen, bis der Käse zerlaufen ist und die Fleischbällchen gar sind.

Blech-Tipp

Für dieses Gericht benötigen Sie einen Spiralschneider. Der schneidet auch anderes Gemüse zu kalorienarmen Nudeln, beispielsweise Rote Bete.

Frittata

mit Zucchini und pikantem Käse

Zutaten

2 Zucchini
2 Knoblauchzehen
2 Schalotten
3 EL Olivenöl
Salz und schwarzer
Pfeffer aus der Mühle
100 g Parmesan oder
Pecorino
8 Eier
150 g Sahne
evtl. Basilikum zum
Bestreuen

1 Den Backofen auf 180 °C vorheizen. Die Zucchini putzen und in dünne Scheiben schneiden. Die Knoblauchzehen und die Schalotten abziehen, fein hacken. Alles verrühren, auf einem Blech auslegen. Das Olivenöl mit Salz und Pfeffer würzen und über das Gemüse träufeln. 10 Minuten garen, bis Zucchini und Zwiebeln etwas weicher sind.

2 In der Zwischenzeit den Käse reiben. Die Eier verschlagen, Sahne und geriebenen Käse unterrühren. Pikant salzen und pfeffern. Das Gemüse zusammenschieben, die Eiermasse darübergießen und etwa 10 Minuten backen, bis sie gestockt ist. Zum Servieren die Frittata nach Belieben mit Basilikum bestreuen.

Blech-Tipp

Frittata ist die italienische Geheimwaffe, wenn es um fixes, leckeres, leichtes Essen geht (vegetarisch ist sie auch noch, wenn Sie darauf Wert legen.) Sie ist einem Omelette vergleichbar, aber da sie langsam gegart wird, ist die Konsistenz fester. Deshalb schmeckt sie auch kalt sehr gut. Sie können sie auch mit Erbsen, grünem Spargel oder Spinat zubereiten.

Grüner Spargel vom Blech
mit Schinken-Ricotta-Kügelchen

Zutaten
1 Bund grüner Spargel
2 EL Olivenöl
Salz und schwarzer
Pfeffer aus der Mühle
250 g Champignons
1 Knoblauchzehe
100 g Räucherschinken
3 EL Nüsse (z. B. Wal-
oder Haselnüsse)
250 g Ricotta

1 Den Backofen auf 190 °C vorheizen. Die holzigen Spargelenden entfernen. Den Spargel kalt abbrausen, auf einem Blech auslegen, mit Olivenöl beträufeln, salzen und pfeffern. 4–5 Minuten garen.

2 Inzwischen die Pilze putzen und in feine Scheiben schneiden. Die Knoblauchzehe abziehen und fein hacken. Beides unter den Spargel rühren. 10 Minuten garen.

3 In der Zwischenzeit den Räucherschinken in feine Streifen schneiden und die Nüsse fein hacken, beides unter den Ricotta rühren, salzen und pfeffern. Das Gemüse durchrühren, vom Ricotta Kügelchen abstechen und dazwischen setzen. Noch 5 Minuten backen, bis der Käse durchgewärmt und der Spargel gar ist.

Blech-Tipp

Den Räucherschinken nicht nur in den Ricotta mischen, sondern nach Belieben ein wenig mehr einkaufen und über den Spargel streuen.

Blätterteigtörtchen
mit Frischkäse-Kräuter-Füllung

Zutaten

4 quadratische Platten
TK-Blätterteig
200 g (Ziegen-)Frischkäse
1 Ei
Salz und schwarzer
Pfeffer aus der Mühle
4 Stängel frischer
Thymian
4 Stängel frischer
Oregano
1 Bio-Zitrone
500 g Wirsing oder
Rübstiel
2 EL Butterflocken
2 EL Brühe

1 Die Blätterteigplatten nebeneinander auf einer Arbeitsplatte auslegen und etwa 20–30 Minuten auftauen lassen.

2 Den Backofen auf 220 °C vorheizen. Die Teigplatten auf ein Blech legen, an den Seiten hochklappen und mit einer Gabel gleichmäßig einstechen. Den Frischkäse mit dem Ei verrühren. Pikant salzen und pfeffern. Die Kräuter kalt abbrausen und trocken schütteln. Die Blättchen abzupfen, fein hacken und unter den Frischkäse rühren. Die Zitrone heiß waschen, abtrocknen und die Schale abreiben. Die Schale ebenfalls unter die Creme rühren. Die Zitrone auspressen und den Saft beiseitestellen.

3 Die Käsecreme in die Mitte der Teigplatten löffeln. Die Blätterteigtörtchen mit einem Gitterrost belegen (dann gehen sie gleichmäßig auf) und 10 Minuten backen.

4 Inzwischen den Wirsing hauchdünn raspeln. Alternativ den Rübstiel putzen, die Stängel fein hacken und die Blätter mit den Fingern zerzupfen.

5 Die Ofentemperatur auf 190 °C reduzieren. Das Gemüse neben die Törtchen legen. Mit Butterflocken bestreuen. Brühe und Zitronensaft verrühren, pikant salzen und pfeffern. Über das Gemüse träufeln und je nach Gemüse etwa 8 Minuten garen, bis es weich ist.

Miesmuscheln
im Weißweinsud

Zutaten

4 Möhren
2 Knoblauchzehen
2 Lorbeerblätter
1 EL Pfeffer aus
der Mühle
Salz
200 ml Weißwein
200 ml Brühe
4 EL Olivenöl
2 kg Miesmuscheln
400 g italienische
Cannellini-Bohnen (Dose)
1 Baguette
1 kleines Bund glatte
Petersilie

1 Den Backofen auf 180 °C vorheizen. Die Möhren schälen und fein würfeln. Die Knoblauchzehen abziehen und fein hacken. Beides auf einem Blech auslegen. Lorbeerblätter, Pfeffer, Salz, Weißwein, Brühe und Olivenöl verrühren, angießen. 10 Minuten backen.

2 Inzwischen die Miesmuscheln unter kaltem Wasser waschen, den Bart, falls vorhanden, mit einer Handbürste entfernen. Alle Muscheln aussortieren, die nicht ganz fest geschlossen sind oder eine beschädigte Schale aufweisen.

3 Die Ofentemperatur auf 220 °C erhöhen. Die Muscheln unter den Sud rühren und 10 Minuten garen lassen. Inzwischen die Cannellini-Bohnen in ein Sieb geben und kalt abbrausen, abtropfen lassen.

4 Die Bohnen unterrühren. Das Baguette mit etwas kaltem Wasser besprengen, auf dem Ofenboden 5 Minuten knusprig werden lassen. Die Petersilie kalt abbrausen, trocken schütteln und fein hacken.

5 Alle Muscheln aussortieren, die sich nicht geöffnet haben. Das Baguette in Stücke teilen und zum Dippen dazu servieren. Die Muscheln mit Petersilie bestreuen.

Butternutkürbiswürfel

mit Ahornsirup und Mascarpone

Zutaten

**1 großer Butternutkürbis
(ca. 2 kg)**
**Salz und schwarzer
Pfeffer aus der Mühle**
2 Bio-Limetten
2 TL Ahornsirup
2 EL Öl
150 g Mascarpone
100 g Gorgonzola

1 Den Backofen auf 180 °C vorheizen. Den Kürbis längs halbieren und die Kerne herausschaben. Den Kürbis schälen und mundgerecht würfeln. Die Würfel auf einem Blech verteilen, salzen und pfeffern. Die Limetten heiß waschen, abtrocknen und die Schale fein reiben. Den Abrieb mit Ahornsirup und Öl verrühren, über den Kürbiswürfeln verteilen und alles gut vermischen. Den Kürbis 15 Minuten backen.

2 Währenddessen die Limetten auspressen. Den Kürbis mit 2 EL Limettensaft beträufeln, gut durchrühren und nochmals 5 Minuten backen.

3 Inzwischen den Mascarpone mit dem restlichen Limettensaft verquirlen. Den Gorgonzola fein würfeln. Die Mascarpone-Limetten-Masse und die Gorgonzolawürfel über den Kürbiswürfeln garnieren und noch einige Minuten backen, bis der Käse zerlaufen ist. Abschmecken und servieren.

Hähnchenbrust
mit Mozzarella und Kidneybohnen

Zutaten

500 g Hähnchenbrustfilet
400 g Kidneybohnen
(Dose/Glas)
1 Knoblauchzehe
3 EL Olivenöl
Salz und schwarzer
Pfeffer aus der Mühle
350 g Mozzarella
1 TL Balsamicoessig
1 kleines Bund Basilikum

1 Den Backofen auf 200 °C vorheizen. Das Fleisch kalt abbrausen, trocken tupfen und in mundgerechte Stücke schneiden. Die Kidneybohnen in ein Sieb geben, kalt abbrausen und abtropfen lassen.

2 Fleisch und Bohnen auf ein Blech geben und miteinander verrühren. Die Knoblauchzehe abziehen und fein hacken. Mit 2 EL Olivenöl, Salz und Pfeffer vermengen, unterrühren. 20 Minuten garen.

3 Inzwischen den Mozzarella würfeln und mit dem restlichen Olivenöl und dem Balsamicoessig verrühren. Salzen und pfeffern, über Fleisch und Bohnen verteilen. Weitere 5 Minuten backen, bis das Fleisch gar und der Käse zerlaufen ist.

4 Inzwischen das Basilikum kalt abbrausen, trocken schütteln und die Blättchen mit den Fingern zerzupfen. Vor dem Servieren über das Gericht streuen.

Limettenscampi

mit Paprika-Mais-Gemüse

Zutaten

2 rote Paprikaschoten
400 g Dosenmais
Salz und Pfeffer aus
der Mühle
3 EL Olivenöl
16 küchenfertige
Riesenscampi
1 Limette
2 EL Wermut
1 Bund Koriandergrün

1 Den Backofen auf 180 °C vorheizen. Die Paprikaschoten längs halbieren, von Samen und Samensträngen befreien und maiskorngroß würfeln. Die Maiskörner abgießen. Beides in einer Schüssel mischen, dann auf einem Blech auslegen. Salzen und pfeffern, mit 2 EL Olivenöl beträufeln.

2 Die Riesenscampi kalt abbrausen und trocken tupfen. Mit Salz und Pfeffer würzen und auf das Gemüse legen. Die Scampi mit dem restlichen Olivenöl beträufeln. Die Limette auspressen und den Saft ebenfalls über die Scampi träufeln. 8 Minuten backen, bis die Scampi ihre Farbe verändern und fast gar sind.

3 Die Scampi mit Wermut beträufeln, noch etwa 3 Minuten backen, bis sie gar sind und der Alkohol verkocht ist.

4 Zum Servieren das Gemüse durchrühren und die Scampi dekorativ obenauf legen. Koriandergrün kalt abbrausen, trocken schütteln, die Blättchen abzupfen und darüberstreuen.

Blech-Tipp

Küchenfertige Scampi müssen nicht mehr entdarmt werden; auch die Schale wurde bereits entfernt. Das ist praktisch, hat aber auch einen Nachteil. Denn die Schale schützt das zarte Fleisch vor dem Austrocknen. Falls Sie also lieber Scampi mit Kopf und Schale verwenden, können Sie die Schale vor dem Backen mit einer Schere aufschneiden, dann lässt sie sich hinterher einfach lösen.

Fleisch!

Oder auch: Frech aufs Blech. Im
Ganzen, in Stücken, gewickelt, gefüllt.
Mit Kräutern, mit Schnaps, mit Äpfeln.
Mal mexikanisch, mal neudeutsch,
mal vietnamesisch gewürzt und
immer unkompliziert.

Gefüllte Schweinelende

im Schinkenmantel mit Kartoffeln

Zutaten

1 kg Drillinge (kleine Kartoffeln)
3 EL Olivenöl
Salz und schwarzer Pfeffer aus der Mühle
6 Scheiben Parma- oder Serranoschinken
800 g Schweinelende aus dem Mittelstück

Für die Füllung

8 getrocknete Aprikosen
8 getrocknete Pilze (Morcheln, Shiitake etc.)
50 ml Brandy
2 Schalotten

1 Den Backofen auf 180 °C vorheizen. Für die Füllung die getrockneten Aprikosen sehr fein schneiden, die getrockneten Pilze fein hacken oder reiben. Beides in ein Schüsselchen geben. Den Brandy oder Tee (siehe Tipp) leicht erwärmen und über die Aprikosen-Pilz-Mischung gießen. Etwa 30 Minuten ziehen lassen, bis die Aprikosenstückchen weich sind und die Flüssigkeit aufgesogen haben. Bei Bedarf noch etwas heißes Wasser angießen.

2 Die Kartoffeln kalt abbrausen, trocken tupfen und halbieren. Die Schnittseiten mit Olivenöl beträufeln, salzen und pfeffern. Kartoffeln mit der Schnittseite nach oben auf ein Blech legen und 20 Minuten backen.

3 Inzwischen die Schalotten abziehen und fein hacken. Unter die Aprikosen-Pilz-Mischung rühren. Den Schinken längs halbieren.

4 Die Schweinelende kalt abbrausen, sorgfältig trocken tupfen, salzen und pfeffern. Das Fleisch mit einem scharfen Messer der Länge nach zu zwei Dritteln einschneiden (nicht ganz durchschneiden), dann in 12 Stücke teilen.

5 Die Aprikosen-Pilz-Füllung auf die Stücke verteilen, das Fleisch darüber zusammenklappen. Jedes Fleischmedaillon mit einem Stück Schinken umwickeln, sodass die Füllung darin bleibt. Die Medaillons zu den Kartoffeln auf das Blech setzen. Etwa 15 Minuten backen, bis das Fleisch und die Kartoffeln gar sind und der Schinken leicht knusprig geworden ist.

Blech-Tipp

Der Alkohol im Brandy verfliegt während des Backens. Wenn Sie dennoch keinen Alkohol verwenden möchten, weichen Sie Aprikosen und Pilze in schwarzem Tee ein.

Pommes frites

mit Bratwurst und knusprigem Grünkohl

Zutaten

1 kg (festkochende) Kartoffeln
3 EL Rapsöl
Salz und schwarzer Pfeffer aus der Mühle
4 Bratwürste (oder Chorizowürste)
1 Zwiebel
250 g Grünkohl

1 Den Backofen auf 190 °C vorheizen. Die Kartoffeln nach Wunsch schälen oder waschen (nicht trocken tupfen), längs in ca. 1 ½ cm dicke Stifte schneiden, auf einem Blech auslegen. 2 EL Rapsöl unterrühren, sodass alle Kartoffelstreifen mit etwas Öl benetzt sind. Salzen und pfeffern. 15 Minuten backen, bis die Kartoffeln etwas weicher sind.

2 Die Würste einstechen. Die Zwiebel abziehen und fein schneiden. Die Kartoffelstifte ein wenig beiseiteschieben und beides auf das Blech geben. 30 Minuten backen, bis Würste und Pommes frites schon recht knusprig und die Zwiebelstücke gebräunt und weich sind. Pommes frites zwischendurch gegebenenfalls wenden, damit sie gleichmäßig knusprig garen.

3 Inzwischen die Grünkohlblätter von den Stielen trennen, diese werden nicht verwendet. Die Blätter mit den Fingern zerzupfen, kalt abbrausen und trocken tupfen. Ein wenig Platz am Blech schaffen, den Grünkohl daraufgeben, salzen und mit dem restlichen Rapsöl beträufeln. Die Ofentemperatur auf 200 °C erhöhen, Grünkohl etwa 10 Minuten backen, bis er knusprig ist.

Hähnchenstreifen

auf Kartoffel-Artischocken-Gemüse

Zutaten

1 kg (festkochende) Kartoffeln
3 EL Rapsöl
Salz und schwarzer Pfeffer aus der Mühle
400 g Artischocken- herzen in Öl
200 g küchenfertige Dicke Bohnen
50 g Kapern
500 g Hähnchenfleisch
8 Scheiben Frühstücks- speck

1 Den Backofen auf 180 °C vorheizen. Die Kartoffeln nach Wunsch schälen. Je nach Größe vierteln oder halbieren, mit 1 EL Rapsöl beträufeln, salzen und pfeffern. 10 Minuten auf einem Blech backen.

2 Währenddessen die Arti- schockenherzen abtropfen lassen, halbieren. Mit den Dicken Bohnen und Kapern mischen. Zu den Kartoffeln aufs Blech geben und 10 Minuten garen.

3 Inzwischen das Hähn- chenfleisch kalt abbrausen und trocken tupfen. Quer zur Faser in dünne Streifen schnei- den. Diese über dem Gemüse anrichten, salzen, pfeffern und mit dem restlichen Rapsöl beträufeln. 10 Minuten backen, bis das Fleisch fast gar ist.

4 Den Frühstücksspeck über die Hähnchenstreifen legen und noch einige Minuten backen, bis die Speckscheiben knusprig sind. Vor dem Servieren die Speckscheiben zerkrümeln und die Speckkrümel über das Gericht streuen.

Blech, Blech, hurra!

Ofen + Blech = ♡

1 Blech, & fertig!

backen rösten grillen

Zeit-sparer

Ran an den Ofen

Blech-master

Roastbeef

mit Kohlrabiwürfeln und geminzten Erbsen

Zutaten

1 kg Roastbeef
Salz und schwarzer
Pfeffer aus der Mühle
2 EL Olivenöl
2 Kohlrabi
4 EL Butter
300 g TK-Erbsen
6 Stängel frische Minze

1 Den Backofen auf 220 °C vorheizen. Das Fleisch kalt abbrausen und trocken tupfen. Auf ein Blech geben, salzen, pfeffern und mit Olivenöl einreiben. 20 Minuten garen. Inzwischen die Kohlrabi schälen und fein würfeln.

2 Die Ofentemperatur auf 150 °C reduzieren. Die Kohlrabiwürfel rund um das Fleisch streuen, salzen, pfeffern und mit 3 EL Butterflocken bestreuen. Das Fleisch für medium-rare noch 20 Minuten backen. Wenn möglich, mit einem Fleischthermometer den Gargrad überprüfen. Das Fleisch aus dem Ofen nehmen, in Alufolie wickeln und mindestens 10 Minuten ruhen lassen. Den Ofen ausschalten, das Blech im Ofen lassen.

3 Inzwischen die Kohlrabiwürfel durchrühren, bei Bedarf nachwürzen. Die Erbsen zum Kohlrabi aufs Blech geben, mit der restlichen Butter in Flocken belegen und im ausgeschalteten Ofen etwa 5 Minuten erwärmen. Salzen und pfeffern.

4 Währenddessen die Minze kalt abbrausen, die Blättchen abzupfen und fein hacken. Unter die Erbsen rühren.

Blech-Tipp

Roastbeef können Sie entweder nach der oben angegebenen Methode mit Anfangshitze (pro 500 g etwa 10 Minuten) anbraten und dann bei mittlerer Hitze (pro 500 g ebenfalls etwa 10 Minuten) garen oder durchgehend bei Niedrighitze garen. Dafür müssen Sie dann aber mehrere Stunden einplanen.

Asiatische Hackfleischspieße

mit Pak Choi und Zitronengras

Zutaten

200 g Rinderhack
400 g Thüringer Mett
200 g Seidentofu
1 EL Sojasauce
½ EL Sesamöl
4 Stängel Zitronengras
500 g Pak Choi
2 EL Pflanzenöl
1 cm Ingwer
1 kleine Knoblauchzehe
2 EL Austernsauce

1 Den Backofen auf 180 °C vorheizen. Hackfleisch und Mett mit Seidentofu in einer Schüssel mit einer Gabel verrühren, mit Sojasauce und Sesamöl würzen.

2 Das Zitronengras längs halbieren, sodass es insgesamt 8 Streifen sind. Das Innere herauskratzen, fein würfeln und unter das Hackfleisch rühren. Vom Hackfleisch mit angefeuchteten Händen kleine Portionen abteilen, diese an die Zitronengrasstängel drücken und dabei zu Bällchen formen. Auf ein Blech legen und 10 Minuten backen.

3 Inzwischen den Pak Choi putzen, die Blätter quer halbieren und die Stängel fein schneiden. In eine Schüssel geben. Mit Pflanzenöl benetzen. Den Ingwer schälen und darüberreiben. Die Knoblauchzehe abziehen, fein hacken und unterrühren. Die Austernsauce untermischen. Die Bällchen beiseiteschieben. Gewürzten Pak Choi dazu auf das Blech geben, noch etwa 10 Minuten backen, bis das Fleisch und die Pak-Choi-Stängel gar sind.

Blech-Tipp

Tofu gibt es in zwei Varianten, als Seidentofu, dessen zarte Konsistenz sich bestens zum Pürieren und für Dips eignet, und als festen Tofu, der sogar frittiert werden kann. Gut sortierte Reformhäuser oder Bioläden haben wie jeder Asienladen beide Sorten im Angebot. Sesamöl, Sojasauce und Austernsauce bekommen Sie mittlerweile im gut sortierten Supermarkt.

Entenbrust
mit Kürbis-Möhren-Gemüse und karamellisierten Zwiebeln

Zutaten

2 Entenbrüste
1 EL Hoisinsauce
½ TL Fünf-Gewürze-Pulver
Salz und schwarzer Pfeffer aus der Mühle
3 EL Rapsöl
250 g Möhren
250 g Kürbis (z.B. Hokkaido)
1 rote Zwiebel
1 Prise Zucker
2 EL Sesamsaat

1 Den Backofen auf 190 °C vorheizen. Die Entenbrüste kalt abbrausen und trocken tupfen. Die Fettschicht diagonal im Abstand von etwa 1 cm bis zum Fleisch einschneiden und die Entenbrüste mit der Hoisinsauce lackieren. Die Fettschicht mit dem Fünf-Gewürze-Pulver, Salz und Pfeffer einreiben. Die Unterseite der Entenbrüste mit 1 EL Rapsöl einstreichen. Das Fleisch beiseitelegen.

2 Die Möhren schälen, halbieren und in Streifen schneiden. Den Kürbis schälen, entkernen und mundgerecht würfeln. Beides salzen und pfeffern. Die Zwiebel abziehen, in Spalten schneiden, salzen und pfeffern und mit dem Zucker bestreuen.

3 Entenbrüste mit der Fettseite nach oben zusammen mit Möhren, Kürbis und Zwiebel auf einem Blech auslegen. Das Gemüse mit dem restlichen Öl beträufeln. 20 Minuten backen, zwischendurch das Gemüse wenden. Servieren, wenn die Entenbrust innen noch rosa, aber die Fettschicht schon knusprig ist. Das Kürbis-Möhren-Gemüse mit der Sesamsaat bestreuen.

Lammlachse

mit Mangold und Ricotta

Zutaten

1,2 kg Mangold
1 Bund glatte Petersilie
**1 dickes Bund Frühlings-
zwiebeln**
1 Knoblauchzehe
4 EL Olivenöl
**Salz und schwarzer
Pfeffer aus der Mühle**
250 g Ricotta
200 g Feta
800 g Lammlachse

1 Den Backofen auf 180 °C vorheizen. Den Mangold putzen, die Stängel von den Blättern abtrennen und grob hacken. Blätter zerpflücken und zur Seite stellen. Die Petersilie kalt abbrausen, trocken schüt-teln, die Blättchen abzupfen und fein hacken. Die Frühlings-zwiebeln putzen und in feine Röllchen schneiden. Die Knob-lauchzehe abziehen und fein hacken.

2 Die grob gehackten Mangoldstängel mit Knoblauch, Frühlingszwiebeln und Petersilie vermengen, auf einem Blech verteilen, mit 2 EL Olivenöl beträufeln, salzen, pfeffern und etwa 10 Minuten backen.

3 Die Mangoldblätter untermischen. Einige Minuten backen, bis die gehackten Stängel weicher sind. Den Ricotta mit einer Gabel auflockern und den Feta fein würfeln. Beides über dem Gemüse verteilen. 2–3 Minuten backen, bis die Käse ange-schmolzen sind.

4 Die Lammlachse kalt abbrausen, trocken tupfen und salzen, mit dem restlichen Olivenöl beträufeln. Das Gemü-se am Blech zusammenschie-ben, die Lammlachse daneben anrichten, etwa 5 Minuten garen, bis das Fleisch innen zart-rosa ist, das Gemüse gar und die Käse geschmolzen sind.

Blech-Tipp

Auf dem Wochenmarkt bekommt man immer häufiger Mangold mit verschiedenfarbi-gen Stielen. Beim Backen bleibt die Farbe ein bisschen besser erhalten als beim Dünsten in Wasser. Sind die Stiele sehr dick, bitte vor dem Verarbeiten mit einem Sparschäler schälen.

Schweinekoteletts
mit Apfelgemüse und Kräutercroûtons

Zutaten

4 Äpfel nach Belieben
3 EL Butterflocken
1 Msp. Pimentpulver
Salz und schwarzer
Pfeffer aus der Mühle
4 Scheiben altbackenes
Weißbrot ohne Rinde
2 EL Olivenöl
4 Schweinekoteletts
(ca. 1,5 cm dick)
3 Stängel Thymian

1 Den Backofen auf 180 °C vorheizen. Die Äpfel halbieren, entkernen und in Schnitze teilen. Auf einer Seite eines Blechs auslegen und mit 2 EL Butterflocken und dem Pimentpulver bestreuen. Leicht salzen und pfeffern. 10 Minuten backen.

2 In der Zwischenzeit die Weißbrotscheiben fein würfeln, mit Olivenöl beträufeln, salzen und pfeffern. Auf der anderen Seite des Blechs anrichten und ca. 5 Minuten etwas knusprig werden lassen.

3 Inzwischen die Koteletts kalt abbrausen und trocken tupfen. Salzen und pfeffern, mit den restlichen Butterflocken belegen. Die Thymianblättchen von den Stängeln zupfen. Die Äpfel etwas zusammenschieben, die Brotwürfel durchrühren, dabei die Thymianblättchen untermischen. Die Koteletts in die Mitte des Blechs legen und etwa 20 Minuten backen, bis das Fleisch gar ist.

Blech-Tipp

Piment und Apfel kennen Sie aus der winterlichen Backküche. Die beiden Aromen harmonieren wunderbar, allerdings ist Piment ähnlich wie Kardamom ein sehr dominantes Gewürz. Das Nachwürzen der fertig gegarten Äpfel ist immer besser als ein Überwürzen vor dem Backen, denn Letzteres kann nur mit zusätzlichen Äpfeln ausgeglichen werden.

Steak-Tortillas

mit Tomaten-Bohnen-Gemüse und Halloumi

Zutaten

500 g Tomaten
1 kleine frische Chilischote
4 EL Olivenöl
Salz und schwarzer Pfeffer aus der Mühle
400 g schwarze Bohnen oder Refried Beans (Dose)
200 g Halloumi
600 g Flanksteak
4 Tortillas
2 rote Paprikaschoten
1 Avocado
1 Limette
250 g Schmand
1 Msp. Chilipulver

1 Den Backofen auf 180 °C vorheizen. Die Tomaten halbieren und auf ein Blech geben. Die Chilischote entkernen, fein hacken und zu den Tomaten geben. Mit 2 EL Olivenöl, Salz und Pfeffer würzen und 15 Minuten im Ofen backen. Die Bohnen unterrühren.

2 Inzwischen den Halloumi quer in ½ cm dicke Scheiben schneiden. Tomaten und Bohnen etwas zur Seite schieben. Die Käsescheiben nebeneinander auslegen, pfeffern und mit 1 EL Olivenöl beträufeln. 10 Minuten backen, bis der Käse knusprig ist. Mit Alufolie abdecken.

3 Den Grill vorheizen. Flanksteak kalt abbrausen und trocken tupfen. Salzen, pfeffern und mit dem restlichen Olivenöl bestreichen. Auf das Blech geben (bei Bedarf ein wenig Platz schaffen) und von beiden Seiten jeweils 2 Minuten medium-rare grillen. Ofen ausschalten, Fleisch im Ofen noch etwa 8 Minuten nachgaren lassen. Blech aus dem Ofen nehmen, das Fleisch ebenfalls mit Alufolie abdecken und 5 Minuten ruhen lassen.

4 Inzwischen die Tortillas im noch warmen Ofen auf dem Ofenboden etwas erwärmen, bis sie aufgepufft sind. Die Paprikaschoten putzen, von Samen und Samensträngen befreien und in feine Streifen schneiden. Avocado schälen, entkernen und in feine Spalten schneiden. Die Limette achteln, etwas Limettensaft über die Avocado träufeln. Den Schmand mit Salz und Chilipulver pikant würzen. Das Fleisch quer zur Faser in dünne Streifen aufschneiden und aufs Blech geben. Die Tortillas falten, an den Blechrand stecken. Paprikastreifen und Avocadospalten über dem Tomaten-Bohnen-Gemüse garnieren. Den Schmand als Dip dazu servieren. Jeder rollt und wickelt selbst.

Blech-Tipp

Einen besonders typischen Geschmack hat geräuchertes Chilipulver, Chipotle genannt. Es ist mittelscharf und hat eine unverkennbar rauchige Note. Sie können es zum Aromatisieren von Dips ebenso verwenden wie zum Würzen von Fleisch.

Hähnchenschenkel
mit Kräuterfüllung und Maiskolben

Zutaten
**4 Hähnchenschenkel
mit Haut
2 Knoblauchzehen
150 g zimmerwarme
Butter
Salz und schwarzer
Pfeffer aus der Mühle
1 Bund glatte Petersilie
8 Stängel Zitronen-
thymian
1 Prise Muskatnuss
4 Maiskolben**

1 Den Backofen auf 200 °C vorheizen. Die Hähnchenschenkel kalt abbrausen und trocken tupfen. Die Knoblauchzehen abziehen und pressen, unter die Butter rühren. Kräftig salzen und pfeffern. Die Kräuter kalt abbrausen und trocken

schütteln. Die Blättchen abzupfen und fein hacken, mit der Hälfte der Knoblauchbutter verrühren.

2 Mit den Fingern vorsichtig zwischen Haut und Fleisch der Hähnchenschenkel fahren und die Haut etwas lösen. Die Kräuterbutter unter die Haut der Hähnchenschenkel schieben und gleichmäßig auf dem Fleisch verteilen. Die Haut mit Salz, Pfeffer und Muskatnuss bestäuben, mit Flocken der Knoblauchbutter bestreuen. Die Schenkel auf ein Blech setzen und 10 Minuten garen.

3 Inzwischen die Maiskolben kalt abbrausen, bei Bedarf Blätter und Fäden entfernen (siehe Tipp) und trocken tupfen. Die restliche Knoblauchbutter in die Maiskolben reiben, diese in Alufolie wickeln, zum Geflügel geben und etwa 30 Minuten garen, bis das Fleisch und die Maiskolben gar sind.

Blech-Tipp

Auf dem Wochenmarkt bekommt man frische Maiskolben manchmal noch in der Blatthülle. Auch diese schützt vor dem Austrocken beim Backen und sorgt für eine gleichmäßige Garung (Alufolie dann nicht nötig). Um bei frischem Mais vorhandene Fäden zu entfernen, am besten unter fließendem Wasser mit der Hand oder einer Gemüsebürste über den Maiskolben reiben.

Fisch!

Oder auch: Die Missverstandenen.
Ihnen geht der Ruf voraus, köstlich
und gesund zu sein, aber hyper-
kompliziert und fummelig in der
Zubereitung. Mit diesen Rezepten
überzeugen wir Sie vom Gegenteil.

Weiße Pizza

mit Räucherlachs und Kapernäpfeln

Zutaten

250 g Ricotta
6 Stängel Basilikum
Salz und schwarzer
Pfeffer aus der Mühle
2 Pkg. Pizzateig aus
dem Kühlregal
1 großer Zucchino
1 Mozzarella (ca. 200 g)
200 g Räucherlachs
8 Kapernäpfel

1 Den Backofen auf 200 °C vorheizen. Den Ricotta in einem Sieb abtropfen lassen, gut ausdrücken und in eine Schüssel geben. Vom Basilikum die Blätter abzupfen und fein hacken, mit Salz und Pfeffer unter den Ricotta rühren.

2 Die Pizzateige nebeneinander auslegen, den Rand rundum etwa 1 cm breit einschlagen und nebeneinander auf das Blech legen. Mit der Ricottamischung bestreichen. Den Zucchino putzen, hauchdünn raspeln und die Raspel auf den beiden Teigböden verteilen. Die Pizzen 4 Minuten backen.

3 Den Mozzarella in feine Scheiben schneiden, die Pizzen damit belegen. Noch etwa 10 Minuten backen, bis der Mozzarella fast zerlaufen ist und die Pizzen knusprig werden.

4 Inzwischen den Räucherlachs zerpflücken und größere Kapernäpfel halbieren (dabei die Stängel nicht abtrennen). Die Pizzen aus dem Ofen nehmen, Lachs und Kapernäpfel darauf anrichten und gleich servieren.

Blech-Tipp

Fertiger Pizzateig feuchtet schnell durch, erst recht, wenn Sie ihn mit feuchten Zutaten belegen. Deshalb ist es wichtig, dem Ricottakäse vor dem Backen Feuchtigkeit zu entziehen. Alternativ den Pizzateig auf dem Ofenboden backen.

Heilbutt

mit Grüner Sauce und Fächerkartoffeln

Zutaten

4 Ofenkartoffeln
80 g zimmerwarme
Butter
Salz und schwarzer
Pfeffer aus der Mühle
800 g Heilbuttfilet
1 Zitrone
1 Kräuterbund für
Frankfurter Sauce
200 g Sahne

1 Den Backofen auf 180 °C vorheizen. Die Kartoffeln waschen, mit einem scharfen Messer in kleinen Abständen zu drei Viertel einschneiden. Vorsichtig auseinanderziehen (der Effekt erinnert ein bisschen an eine Ziehharmonika). Die Kartoffeln auf das Blech legen, mit 3 EL Butterflocken bestreuen, salzen und pfeffern. Je nach Größe etwa 40 Minuten backen, bis sie recht weich sind.

2 Inzwischen den Heilbutt kalt abbrausen, trocken tupfen und in 4 Stücke teilen. Die Zitrone auspressen. Den Heilbutt salzen und pfeffern, auf der Fleischseite mit etwas Zitronensaft beträufeln und mit 1 EL Butterflocken bestreuen. Mit der Hautseite nach unten neben die Kartoffeln auf das Blech legen und etwa 10 Minuten backen.

3 In der Zwischenzeit die Kräuter kalt abbrausen, trocken schütteln und fein hacken. Mit der restlichen Butter verrühren, salzen und pfeffern und unter die Sahne rühren. Die Kräutersahne über den Fisch gießen und noch etwa 1–2 Minuten backen, bis der Fisch nicht mehr glasig ist und die Kartoffeln gar sind.

Lengfisch

mit Orangenbutter und Rote-Bete-Würfeln

Zutaten

1 kg Lengfischfilet
Salz und schwarzer
Pfeffer aus der Mühle
1 EL Öl
1 Bio-Orange
100 g Butter
250 g küchenfertige
Rote Bete (vakuumiert)
1 kleines Bund Dill

1 Den Backofen auf 180 °C vorheizen. Den Lengfisch kalt abbrausen, trocken tupfen und in 4 Stücke teilen. Salzen und pfeffern. An der Unterseite mit Öl bestreichen und auf das Blech legen. Die Orange heiß waschen, abtrocknen und die Schale abziehen. Den Saft auspressen. Die gesamte Schale und etwas Saft mit der Butter verrühren, diese salzen und pfeffern und zur Hälfte auf dem Fisch verteilen. Den Fisch 5 Minuten backen.

2 Inzwischen die Rote Bete würfeln. Den Dill kalt abbrausen, die Spitzen fein hacken. Rote Bete neben dem Fisch anrichten. Die Dillspitzen mit Salz und Pfeffer unter die Betewürfel rühren, mit dem restlichen Orangensaft würzen und mit der restlichen Orangenbutter aromatisieren. Noch etwa 8 Minuten garen, bis die Fischfilets nicht mehr glasig und die Betewürfel durchgewärmt sind.

Blech-Tipp

Wenn Sie frische Rote Bete verwenden möchten, rechnen Sie je nach Größe mit etwa 50 Minuten Backzeit. Wickeln Sie die ungeschälten Beten in Alufolie. Die Schale lässt sich (mit Handschuhen) hinterher problemlos abziehen.

Kabeljau mit Kichererbsenkruste und Tomaten

Zutaten

1 Dose (400 g)
Kichererbsen
800 g (Dosen-)Tomaten
(ganz oder gehackt)
Salz und schwarzer
Pfeffer aus der Mühle
1 Knoblauchzehe
1 TL Agavendicksaft
800 g Kabeljaufilet
1 Bio-Zitrone
3 EL Olivenöl
2 Stängel Rosmarin

1 Den Backofen auf 180 °C vorheizen. Die Kichererbsen in ein Sieb geben und kalt abbrausen, abtropfen lassen. Zur Hälfte mit den Tomaten auf das Blech geben. Salzen und pfeffern. Die Knoblauchzehe abziehen, fein hacken und mit dem Agavendicksaft unterrühren. 20 Minuten backen.

2 Inzwischen das Kabeljaufilet kalt abbrausen und trocken tupfen. Salzen und pfeffern, in 4 Stücke teilen. Die Zitrone heiß waschen, abtrocknen und die Schale abreiben. Die Zitrone pressen. Die Fischstücke mit etwas Zitronensaft beträufeln.

3 Die restlichen Kichererbsen mit dem übrigen Zitronensaft, der Schale, dem Olivenöl sowie Salz und Pfeffer glatt pürieren. Den Rosmarin kalt abbrausen, die Nadeln abrebeln, fein hacken und unter das Kichererbsenpüree rühren.

4 Die Fischfilets auf das Tomatenbett legen, mit dem Kichererbsenpüree bestreichen und ca. 15 Minuten backen, bis der Fisch nicht mehr glasig ist.

Lachs en papillote

mit gerösteten Gurken und knusprigem Baguette

Zutaten

1 Salatgurke
Salz
800 g Lachsfilet
schwarzer Pfeffer
aus der Mühle
80 g Butter
1 Bio-Limette
4 getrocknete Pilze (z. B.
Shiitake oder Morcheln)
1 kleines Bund Dill
1 Baguette
2 EL Forellen- oder
Ketakaviar

1 Die Salatgurke nach Wunsch schälen. Längs halbieren und die Kerne herausschaben. In kleine Stücke schneiden. In einen Durchschlag geben, mit 1 EL Salz bestreuen und mindestens 30 Minuten ziehen lassen. Dann gut mit Küchenpapier abtupfen. Inzwischen den Backofen auf 180 °C vorheizen.

2 Den Lachs kalt abbrausen und trocken tupfen. In 4 Stücke teilen, salzen und pfeffern. Auf große Stücke Pergamentpapier setzen. Salzen und pfeffern. Mit 4 EL Butterflocken bestreuen. Die Limette heiß waschen, abtrocknen und schälen. Die Schale über den Fisch streuen. Die getrockneten Pilze fein reiben und ebenfalls darübergeben. Den Dill kalt abbrausen und trocken schütteln. Von 4 Stängeln die Spitzen abzupfen und darauf verteilen.

3 Das Backpapier an den Seiten über den Fisch klappen, sodass im Päckchen etwas Luft bleibt (darin gart der Lachs), und die Enden durch Eindrehen gut verschließen. Lachspäckchen und Gurkenstücke auf das Blech geben. Die Gurkenstücke mit der restlichen Butter in Flocken bestreuen. Im Ofen 5 Minuten backen.

4 Baguette mit kaltem Wasser besprengen, auf den Ofenboden legen. Noch etwa 5 Minuten backen, bis es knusprig ist und der Lachs durchgegart. Zum Servieren die restlichen Dillspitzen auf den Gurken garnieren. Den Lachs mit Kaviarperlen bestreut servieren.

Blech-Tipp

Geröstete Gurken sind ein Klassiker aus der französischen Küche. Der Trick ist, ihnen ausreichend Wasser zu entziehen. Je nachdem, wie knackig Sie sie mögen, marinieren Sie sie bis zu mehreren Stunden in Salz – dieser Prozess entzieht ihnen Wasser.

Paella vom Blech

mit Chorizo und Garnelen

Zutaten

200 g Paellareis
500 ml Hühnerbrühe
5 Fäden (oder 1 Tütchen) Safran
1 TL mildes Paprikapulver
Salz und schwarzer Pfeffer aus der Mühle
2 Schalotten
1 Knoblauchzehe
100 g Chorizo
200 g küchenfertige Garnelen
2 Bio-Zitronen

1 Den Backofen auf 180 °C vorheizen. Den Reis auf dem Blech ausstreuen und 3–4 Minuten anrösten.

2 Inzwischen Hühnerbrühe mit Safran, Paprikapulver, Salz und Pfeffer würzen. Über den Reis gießen, gut durchrühren und 15 Minuten garen.

3 In der Zwischenzeit die Schalotten und die Knoblauchzehe abziehen und fein hacken. Die Wurst in kleine Stücke schneiden. Alles unter den Reis rühren, etwa 3 Minuten garen, bis der Reis fast gar ist.

4 Die Garnelen unter den Reis rühren. 1–2 Minuten durchwärmen. Zum Servieren die Zitronen in Spalten schneiden und auf der Paella anrichten.

Blech-Tipp

Sie können die Paella mit Petersilie bestreuen oder mit TK-Erbsen variieren (siehe Bild). Geben Sie die Erbsen zusammen mit den Garnelen zum fast fertig gegarten Reis. Falls Sie lieber Garnelen mit Schale verwenden, diese bereits 5 Minuten nach dem Reis dazugeben.

Fischsalat

mit Fenchel, Radieschen und Grapefruitfilets

Zutaten

1 große Fenchelknolle
1 Bund Radieschen mit
knackigem Grün
400 g Weißfischfilet
(z.B. Heilbutt, Alaska-
Seelachs)
Salz und schwarzer
Pfeffer aus der Mühle
2 (rosa) Grapefruits
3 EL (fruchtiges) Olivenöl
3 EL Mandelstifte oder
gehackte Mandeln
10 grüne Oliven

1 Den Backofen auf 180 °C vorheizen. Den Fenchel putzen, dabei den Strunk entfernen, das Fenchelgrün abschneiden und beiseitelegen. Den Fenchel hauchdünn aufschneiden. Die Radieschen putzen und ebenfalls hauchdünn aufschneiden. Das Grün kalt abbrausen, trocken schütteln, zerzupfen und zur Seite legen. Das Fischfilet kalt abbrausen, trocken tupfen, salzen und pfeffern.

2 Das Gemüse auf dem Blech auslegen, den Fisch darüberlegen. Die Grapefruits filetieren, dabei den Saft auffangen. Saft mit dem Olivenöl verquirlen, über Fisch und Gemüse träufeln. 10 Minuten backen, bis der Fisch nicht mehr glasig ist.

3 Den Fisch mundgerecht zerpflücken, unter das Gemüse rühren. Die Grapefruitfilets, Mandeln und Oliven darüber anrichten, 1–2 Minuten durchwärmen. Mit den Radieschenblättchen und dem Fenchelgrün bestreut servieren.

Blech-Tipp

Dieser Salat schmeckt auch lauwarm zu knusprigem Baguette. Lassen Sie sich von der Kombination Olivenöl und Frucht nicht abschrecken; die leicht bittere Note der Grapefruits ergänzt sich perfekt mit dem Olivenölaroma.

Lachsforelle im Salzteig

mit Ofenlauch und Kartoffeln

Zutaten

**1 mittelgroße Lachs-
forelle (1,5–2 kg Gewicht)
im Ganzen
6 Eiweiß
3 kg Haushaltssalz
1 kleines Bund
(Zitronen-)Thymian
1 kg Kartoffeln
Salz und schwarzer
Pfeffer aus der Mühle
2 EL Butterflocken
1 kg (nicht zu dicker)
Lauch
1–2 (frische) Knoblauch-
zehen
1 EL Olivenöl**

Zum Servieren

100 g zerlassene Butter

1 Den Backofen auf 200 °C vorheizen. Die Lachsforelle innen und außen kalt abbrausen, mit Küchenpapier trocken tupfen. Die Eiweiße mit einem Rührmixer in einer großen Schüssel steif schlagen. Das Salz unterrühren. Den Thymian kalt abbrausen, 2 Stängel in den Fisch schieben.

2 Ein Drittel des Salzteigs auf einem Blech als Bahn auslegen, auf der der Fisch Platz hat. Den restlichen Salzteig auf dem Fisch verteilen und fest andrücken, sodass kein Luftloch bleibt. Den Fisch in den Ofen schieben, 20 Minuten backen.

3 In der Zwischenzeit die Kartoffeln abbürsten, nach Wunsch schälen, halbieren oder vierteln. Auf dem Blech verteilen, salzen und pfeffern, mit den Butterflocken bestreuen. Die Ofentemperatur auf 180 °C reduzieren und das Gericht weitere 20 Minuten backen. Inzwischen den Lauch putzen und in 2 cm breite Stücke schneiden. Mit heißem Wasser überbrühen und 2 Minuten blanchieren, in ein Sieb abgießen.

4 Die Kartoffeln durchrühren, etwas zusammenschieben. Die Lauchstücke danebenlegen. Knoblauch abziehen, fein hacken und über den Lauch streuen. Den Lauch salzen und pfeffern und mit dem Olivenöl beträufeln. Den restlichen Thymian dazwischen stecken. Alles noch 10 Minuten backen, bis die Kartoffeln und der Lauch gar sind.

5 Zum Servieren einen Hammer bereitlegen und damit den Salzteig aufschlagen. Die Lachsforelle portionieren und mit zerlassener Butter beträufeln.

Blech-Tipp

Für diverse Backrezepte wird oft weniger Eiweiß als Eigelb benötigt. Eiweiß können Sie problemlos für mindestens ein Jahr einfrieren und beispielsweise hier als raffinierte Resteverwertung nutzen.

Gebackene Doraden

mit Thymianaroma und zweierlei Bohnen

Zutaten

4 küchenfertige Doraden
2 Bio-Zitronen
2 (frische) Knoblauch-
zehen
4 Stängel (Zitronen-)
Thymian
4 EL Olivenöl
2 Sardellenfilets
Salz und schwarzer
Pfeffer aus der Mühle
300 g grüne Bohnen
400 g italienische
Bohnen (Dose; z.B.
Cannelinibohnen oder
Borlottibohnen)

1 Die Doraden kalt abbrau-sen, innen und außen trocken tupfen und auf beiden Seiten im Abstand von ca. 2 cm etwa fingerdick einschneiden. Die Zitronen heiß waschen und abtrocknen. Die Schale einer Zitrone fein reiben, den Saft auspressen. Die andere Zitrone in hauchdünne Scheiben schnei-den. Die Knoblauchzehen abziehen und fein hacken. Den Thymian waschen, trocken schütteln, die Blättchen ab-zupfen und fein hacken.

2 Aus Zitronenschale und -saft, 3 EL Olivenöl, den Sardellenfilets, 1 Knoblauch-zehe, Thymian sowie Salz und Pfeffer ein pikantes Dressing mixen. Die Doraden damit bestreichen, 1–2 Stunden abgedeckt marinieren lassen.

3 Den Backofen auf 180 °C vorheizen. Die grünen Bohnen putzen und gegebenen-falls halbieren. Die Dosenboh-nen in ein Sieb abgießen und kalt abbrausen, abtropfen lassen. Die Fische mit Marinade auf das Blech legen, die Zitronenschei-ben in die Einschnitte stecken.

4 Die beiden Bohnensorten vermischen, zwischen den Fischen auf dem Blech verteilen, mit dem restlichen Knoblauch bestreuen und dem restlichen Olivenöl beträufeln, salzen und pfeffern. Etwa 20 Minuten backen, bis der Fisch und die grünen Bohnen gar sind.

Asia-Zanderfilets

mit Pomelospalten und Mairübchen

Zutaten

4 Zanderfilets
1 Bund Frühlings-
zwiebeln
1 Limette
2 EL Sojasauce
3 EL Sesamöl
1 Pomelo
Salz und schwarzer
Pfeffer aus der Mühle
2 EL Mayonnaise
2 EL Crème fraîche
2 Mairübchen

1 Den Backofen auf 180 °C vorheizen. Die Fischfilets kalt abbrausen und trocken tupfen, beiseitestellen. Die Frühlingszwiebeln putzen, das Grüne der Zwiebeln in 2 cm dicke Röllchen schneiden und als Bett auf dem Blech auslegen. Den Fisch darüberlegen.

2 Die Limette auspressen, den Saft mit Sojasauce und Sesamöl verquirlen. Den Fisch von allen Seiten damit einstreichen. Die Frühlingszwiebelknollen und den weißen Teil der Blätter ganz fein schneiden, über den Fisch streuen. 5 Minuten backen.

3 Inzwischen die Pomelo filetieren, die Filets vorsichtig salzen und pfeffern, neben den Fisch auf das Blech legen und für 1–2 Minuten backen, bis der Fisch nicht mehr glasig ist.

4 Währenddessen die Mayonnaise mit der Crème fraîche verrühren, salzen und pfeffern. Zum Servieren über den Fisch träufeln. Die Mairübchen schälen, hauchdünn aufschneiden und darüberstreuen.

Blech-Tipp

Wenn Sie ein interessantes Würzsalz (z. B. Rotweinsalz) haben, würde es zur Pomelo sehr gut passen. Vorsichtig dosieren. Die Mairübchen schmecken roh übrigens am allerbesten.

veggie!

Oder auch: Locker vom Hocker.
Gemüse als Hauptgericht, nichts
leichter als das, dank mediterraner
Klassiker und raffinierten Würzzutaten
aus dem Orient. Absolut
männertauglich.

Gemischtes Gemüse

auf griechische Art

Zutaten

4 Stangen Lauch
100 g Perlzwiebeln
(oder 3 Schalotten)
4 Möhren
300 g Champignons
100 ml Olivenöl
100 ml Weißwein
100 ml Gemüsebrühe
1 EL Korianderkörner
1 EL Pfefferkörner
1 EL Fenchelsamen
1 TL Salz
2 Lorbeerblätter
4 Stängel Thymian
1 Baguette

1 Den Backofen auf 180 °C vorheizen. Den Lauch putzen und längs halbieren. Die Zwiebeln oder Schalotten abziehen, Schalotten vierteln. Die Möhren schälen, längs vierteln, dann in fingerlange Stücke teilen. Die Champignons putzen, größere Exemplare eventuell halbieren. Die Gemüse auf einem Blech auslegen.

2 Olivenöl, Weißwein und Gemüsebrühe mit den Gewürzen verrühren, die Lorbeerblätter zugeben. Den Thymian waschen und trocken schütteln, die Blättchen abzupfen und unterrühren. Die Gemüse damit beträufeln. 25 Minuten garen, bis sie weicher sind, aber noch etwas Biss haben.

3 Gemüse mit Alufolie abdecken. Das Baguette mit Wasser besprühen, damit es beim Backen knusprig wird. Auf die Aulufolie legen, etwa 5 Minuten knusprig backen. Gemüse warm oder lauwarm servieren (Reste halten sich im Kühlschrank mehrere Tage).

Blech-Tipp

Dieser Gemüseklassiker stammt aus der französischen Küche und heißt im Original »à la grecque«. Damit ist weniger die Zubereitungsart gemeint als die Gewürzzutaten, die verwendet werden. Sie können die Gemüse auch variieren, beispielsweise mit Blumenkohlröschen und Fenchel. Für ein ausgefalleneres Aroma bietet sich zum Abschmecken ein Schuss Trüffelöl an.

Indisches Kartoffelcurry

mit Minzejoghurt

Zutaten

**1 kg festkochende
Kartoffeln
1 TL Kreuzkümmelpulver
1 EL Korianderpulver
1 TL Garam Masala
1 TL Kurkumapulver
Salz und schwarzer
Pfeffer aus der Mühle
3 EL zimmerwarmes
Ghee
150 g Erbsen
1 Bund Minze
(oder Koriandergrün)
1 kleine Knoblauchzehe
400 g Joghurt
(Fettstufe 10 %)**

1 Den Backofen auf 180 °C vorheizen. Die Kartoffeln kalt abbrausen, trocken tupfen, schälen und mundgerecht würfeln. In eine Schüssel geben. Die Gewürze mit Salz und Pfeffer verrühren. Unter die Kartoffeln heben.

2 Die Kartoffeln auf einem Blech ausbreiten, mit Gheeflöckchen belegen, alles gut durchrühren. Etwa 20 Minuten backen, bis die Kartoffeln relativ weich sind.

3 Die Erbsen unterrühren, etwa 5 Minuten mitgaren. Inzwischen die Kräuter kalt abbrausen, trocken schütteln, die Blättchen abzupfen und bis auf einige Blätter fein hacken. Die Knoblauchzehe abziehen und fein hacken. Beides unter den Joghurt rühren.

4 Den Joghurt über die fertig gegarten Kartoffeln träufeln und diese mit den ganzen Minzeblättern garnieren, gleich servieren.

Blech-Tipp

Minze und Koriandergrün schmecken ganz anders – mit anderen Worten, sie sind natürlich nicht austauschbar. Aber an Koriander scheiden sich die Geister. In Asien ist das Kraut so typisch wie hier Petersilie; man schätzt den sehr pikanten, (für manche) leicht seifigen Geschmack. Minze hingegen gibt den Kartoffeln einen überraschenden Frischekick.

Ofengetrocknete Tomaten

mit Kichererbsen und knusprigem Halloumi

Zutaten

500 g Tomaten
(z.B. Kirschtomaten)
4 EL Olivenöl
Salz und schwarzer
Pfeffer aus der Mühle
½ Salatgurke
200 g Halloumi
400 g Kichererbsen
(Dose/Glas)
4 Stängel Dill

1 Den Backofen auf 160 °C vorheizen. Die Tomaten halbieren, gegebenenfalls vom Strunk befreien und mit der Schnittseite nach oben auf ein Blech legen. Mit 2 EL Olivenöl beträufeln, salzen und pfeffern. 30 Minuten backen, bis sie etwas an Feuchtigkeit verloren haben.

2 Inzwischen die halbe Salatgurke in fingerlange Stifte schneiden, in ein Sieb geben und mit etwas Salz beträufeln. Ein wenig ziehen und abtropfen lassen. Den Halloumi in 8 Scheiben schneiden.

3 Die Ofentemperatur auf 180 °C erhöhen. Die Kichererbsen in ein Sieb abgießen und unter fließendem Wasser spülen, abtropfen lassen. Salzen und pfeffern, unter die Tomaten mischen. Den Halloumi auf dem Blech auslegen, mit etwas Olivenöl beträufeln. 8 Minuten knusprig braun backen, wenden, mit dem restlichen Öl bestreichen, noch einige Minuten bräunen.

4 Die Salatgurkenstifte pfeffern, über das Gemüse streuen. Alles noch einige Minuten weiterbacken. Den Dill kalt abbrausen, trocken schütteln und zum Servieren darüberstreuen.

Würziges Eiergericht

zum Brunch

Zutaten

**400 g Kidneybohnen
(Dose/Glas)
400 g ganze oder
stückige Tomaten (Dose)
Salz und schwarzer
Pfeffer aus der Mühle
1 Msp. Kreuzkümmel-
pulver
8 Eier
200 g Feta
4 Frühlingszwiebeln
1 TL Paprikapulver
edelsüß**

1 Den Backofen auf 180 °C vorheizen. Die Kidney-bohnen in ein Sieb abgießen und unter fließendem Wasser spülen, abtropfen lassen. Ganze Tomaten etwas zerdrücken. Die Tomaten mit den Bohnen verrühren und mit Salz, Pfeffer und Kreuzkümmelpulver vermischen. Auf einem Blech verteilen, etwa 5 Minuten durchwärmen.

2 Inzwischen die Eier trennen. Die Eiweiße mit etwas Salz steif schlagen. Den Feta zerkrümeln und unter-ziehen. Die Frühlingszwiebeln putzen, in Röllchen schneiden und ebenfalls unterziehen. Den Eischnee als 8 Häufchen in die Tomaten setzen. In die Mitte jedes Häufchens mit einem Teelöffel eine Mulde drücken. 5 Minuten backen, bis der Eischnee etwas fester gewor-den ist.

3 Die Eigelbe in die Mulden schöpfen. Salzen und mit dem Paprikapulver bestäuben. Noch etwa 8 Minuten backen, bis die Eigelbe gestockt sind.

Gefüllte Portobello-Pilze

mit Kräuterbaguette

Zutaten

4 Portobello-Pilze
2 EL Öl
1 TL Balsamicoessig
Salz und schwarzer
Pfeffer aus der Mühle
1 Baguette
1 Bund Schnittlauch
1 kleines Bund glatte
Petersilie
2 Knoblauchzehen
150 g zimmerwarme
Butter
1 großer Mozzarella
(idealerweise Büffel-
mozzarella), ca. 350 g
2 EL geriebener
Parmesan

1 Den Backofen auf 180 °C vorheizen. Die Portobello-Pilze putzen. Die Unterseite der Pilze mit Öl und Balsamicoessig beträufeln, salzen und pfeffern. Mit der Unterseite nach oben auf ein Blech legen und 5 Minuten backen.

2 Inzwischen das Baguette diagonal im Abstand von etwa 3 cm mehrmals einschneiden, aber nicht ganz durchschneiden. Die Kräuter kalt abbrausen, trocken schütteln und fein hacken. Die Knoblauchzehen abziehen und fein hacken. Kräuter und Knoblauch unter die Butter rühren, pikant salzen und pfeffern. Die Kräuterbutter in die Einschnitte geben, Baguette etwas zusammendrücken. Das Baguette neben die Pilze aufs Blech geben, 5 Minuten backen.

3 Den Mozzarella in 4 Scheiben schneiden, auf die 4 Pilze legen und etwa 5 Minuten backen. Die Pilze mit Parmesan bestreuen und so lange backen, bis der Käse etwas eindunkelt und das Baguette knusprig gebacken ist.

Blech-Tipp

Portobello-Pilze sehen aus wie riesige Champignons. Sie eignen sich perfekt zum Befüllen und sind dank ihrer fleischigen Konsistenz auch etwas für Leute, die auf fleischloses Essen nicht mit Begeisterung reagieren. Man bekommt sie auf dem Wochenmarkt und mittlerweile im gut sortierten Supermarkt.

Pikantes Spinatgemüse

mit Cashewcreme und Artischockenherzen

Zutaten
60 g Cashewkerne
400 g Artischockenher-
zen in Öl (Dose/Glas)
Salz und schwarzer
Pfeffer aus der Mühle
500 g Spinat
1 Knoblauchzehe
4 Frühlingszwiebeln
2 EL Olivenöl
200 g Seidentofu
(siehe Tipp S. 48)

1 Die Cashewkerne etwa 1 Stunde in lauwarmem Wasser einweichen.

2 Den Backofen auf 170 °C vorheizen. Die Artischockenherzen aus dem Öl heben, etwas abtropfen lassen. Halbieren, salzen und pfeffern, beiseitestellen.

3 Den Spinat putzen, zweimal kalt waschen und trocken schleudern. Die Knoblauchzehe abziehen und fein hacken. Die Frühlingszwiebeln putzen und in Ringe schneiden. Knoblauch und Frühlingszwiebeln mit dem Olivenöl verrühren, salzen und pfeffern.

4 Den Spinat auf einem Blech auslegen. Die Gemüsemischung und die Artischocken auf dem Blech verteilen und unter den Spinat rühren. 15 Minuten garen, bis der Spinat zusammenfällt. Gut durchrühren.

5 Die Cashewkerne abgießen und pürieren. Mit dem Seidentofu verrühren und mit Salz und Pfeffer pikant abschmecken. Das Gemüse noch so lange garen, bis der Spinat gar ist. Zum Servieren mit der Cashewcreme begießen.

Blech-Tipp

Frischer Knoblauch schmeckt weniger intensiv. Wenn Sie ihn mögen, aromatisieren Sie doch einfach auch die Cashewcreme mit etwas Knoblauch.

Ratatouille

mit Basilikumöl und Gorgonzolacreme

Zutaten

300 g Kartoffeln
3 gelbe Paprikaschoten
500 g (Cocktail-)Tomaten
1 Zwiebel
3 EL Olivenöl
Salz und schwarzer
Pfeffer aus der Mühle
1 kleines Bund Basilikum
2 Zucchini
100 g Gorgonzola
3 EL Crème double

1 Den Backofen auf 180 °C vorheizen. Die Kartoffeln schälen und würfeln. Die Paprikaschoten halbieren, von Samen und Samensträngen befreien und in Streifen schneiden. Die Tomaten gegebenenfalls vom Strunk befreien und vierteln. Die Zwiebel abziehen und in Ringe schneiden.

2 Die Gemüse auf einem Blech verteilen. Das Olivenöl mit Salz und Pfeffer würzen. Das Basilikum kalt abbrausen, trocken schütteln, die Blätter abzupfen und beiseitestellen. Die Stängel hacken und zusammen mit dem gewürzten Olivenöl pürieren, über die Gemüse träufeln. 15 Minuten backen.

3 Inzwischen die Zucchini putzen und würfeln. Unter das Gemüse rühren. 10 Minuten weitergaren.

4 In der Zwischenzeit den Gorgonzola mit der Crème double verrühren. Basilikumblätter bei Bedarf noch zerzupfen, zur Hälfte über das Gemüse streuen. Die Gorgonzolacreme über dem Gemüse verteilen. Alles weitere 5 Minuten backen. Zum Servieren mit dem restlichen Basilikum garnieren.

Röstgemüse vom Blech

mit Garam Masala

Zutaten

5 Möhren
2 Zucchini
1 rote Zwiebel
4 EL Olivenöl
Salz und schwarzer
Pfeffer aus der Mühle
500 g Kürbis
(z. B. Hokkaido)
1 EL Garam Masala
250 g Rosenkohl

1 Den Backofen auf 180 °C vorheizen. Die Möhren schälen und längs vierteln. Die Zucchini putzen und in fingerdicke Scheiben schneiden, große Stücke gegebenenfalls halbieren oder vierteln. Die Zwiebel abziehen und in Spalten schneiden. Das Olivenöl mit Salz und Pfeffer würzen, kurz verquirlen. Die Gemüse auf ein Blech legen und mit der Hälfte des Öls beträufeln, 10 Minuten backen.

2 Inzwischen den Kürbis putzen, gegebenenfalls schälen (Hokkaido muss nicht geschält werden), von den Kernen befreien und würfeln. Neben das andere Gemüse aufs Blech legen, mit dem restlichen Olivenöl beträufeln und mit Garam Masala bestreuen. 15 Minuten backen.

3 In der Zwischenzeit den Rosenkohl putzen und die Blättchen lösen. Zwischen die anderen Gemüse stecken und noch 2–3 Minuten garen, bis die Blättchen etwas weicher sind.

Blech-Tipp

Alte Möhrensorten in überraschenden Farben zwischen hellgelb und lila erleben ihr Comeback auf den Wochenmärkten. Sie geben diesem Gericht eine besonders interessante Farbnote.

Ein, Blech voll Glück

Of(f)en für alles

Hands off !

Topf war gestern

easy peasy

herrlich lecker

Gib mir Blech !

Gefüllter Brie

im Blätterteigmantel mit Süßkartoffelsticks

Zutaten

350 g Brie (als Stück)
50 g Walnüsse
50 g getrocknete Cranberrys oder anderes kleines Trockenobst (z. B. getrocknete Kirschen oder Heidelbeeren)
schwarzer Pfeffer aus der Mühle
1 Pkg. Blätterteig aus dem Kühlregal (rund oder quadratisch)
1 Ei
500 g Süßkartoffeln
2 EL Olivenöl
Salz
2 Knoblauchzehen
1 Bio-Zitrone
250 ml Joghurt (idealerweise Fettstufe 10 %)
2 EL Olivenöl

1 Den Backofen auf 220 °C vorheizen. Den Brie quer halbieren. Die Walnüsse und die Trockenfrüchte fein hacken, leicht pfeffern. Auf den Schnittflächen verteilen. Die zwei Briehälften wieder aufeinanderklappen.

2 Den Blätterteig auf einer Arbeitsfläche auslegen. Das Ei verquirlen. Den gefüllten Brie in die Mitte des Teigs legen. Den Teig darüber zusammenlegen, fest andrücken. Die Oberfläche gleichmäßig mit dem verquirlten Ei bestreichen. Den Brie auf ein Blech legen und 5 Minuten backen.

3 Inzwischen die Süßkartoffeln schälen und in dünne Stifte schneiden. Mit Olivenöl bepinseln, salzen und pfeffern. Die Ofentemperatur auf 200 °C reduzieren. Die Süßkartoffelstifte und die ganzen Knoblauchzehen um den Brie herum legen, Knoblauch mit restlichem Olivenöl bepinseln. 10 Minuten backen.

4 Inzwischen die Zitrone heiß waschen, abtrocknen und die Schale abreiben. Die Zitrone halbieren und den Saft auspressen. 1 EL Zitronensaft über die Süßkartoffelsticks träufeln. Noch 5 Minuten backen, bis die Süßkartoffelsticks wieder etwas knuspriger werden.

5 Die Knoblauchzehen aus dem Ofen nehmen, aus der Schale pressen, mit dem Zitronenabrieb unter das Joghurt rühren. Den Dip salzen und pfeffern, nach Belieben mit etwas Zitronensaft aromatisieren.

6 Den Brie vor dem Aufschneiden einige Minuten auf dem heißen Blech ruhen lassen.

Orientalisches Shakshuka

mit Fladenbrot

Zutaten

1 kg reife Tomaten
1 EL Zucker
2 Knoblauchzehen
2 Schalotten
2 rote Paprikaschoten
1 kleine Chilischote
½ TL geräuchertes Chilipulver (Chipotle)
½ TL Kreuzkümmelpulver
1 TL Zatar
Salz und schwarzer Pfeffer aus der Mühle
4 EL Olivenöl
1 Fladenbrot
8 Eier
1–2 Bund Koriandergrün

1 Den Backofen auf 180 °C vorheizen. Die Tomaten vom Strunk befreien und hacken. Auf einem Blech ausbreiten, mit dem Zucker bestreuen. Die Knoblauchzehen und die Schalotten abziehen, fein hacken. Die Paprikaschoten halbieren, von Samen und Samensträngen befreien und in dünne Streifen schneiden. Die Chilischote entkernen, von den Trennwänden befreien und ganz fein hacken (Einweghandschuhe); für mehr Schärfe die Samen nicht entfernen. Alles unter die Tomaten rühren.

2 Die Gewürze mit dem Olivenöl verrühren und über das Gemüse träufeln. 30 Minuten garen.

3 Das Fladenbrot etwas mit Wasser beträufeln, auf den Ofenboden legen. In das Gemüse 8 Mulden formen, die Eier hinein aufschlagen, salzen und pfeffern. Noch etwa 8 Minuten backen, bis das Brot knusprig ist und die Eier gestockt sind.

4 Inzwischen das Koriandergrün kalt abbrausen, trocken schütteln, die Blätter abzupfen und fein hacken. Über das Gericht streuen und mit Fladenbrot servieren.

Blech-Tipp

Dieser Klassiker aus der jüdisch-nordafrikanischen Küche ist eigentlich fürs Frühstück gedacht, schmeckt aber den ganzen Tag und am allerbesten, wenn es frische reife Tomaten gibt. Auch andere Gemüse wie Zucchini oder Auberginen passen dazu. Wenn es sättigender werden soll, empfehlen sich Kartoffeln. Und wie viel Koriander Sie verwenden, ist Geschmackssache – nicht jeder mag den Geschmack. Zatar ist eine Gewürzmischung aus der dortigen Küche mit Sesam, Sumach und Oregano.

sweet !

Oder auch: Es gibt nichts Süßes,
außer man tut es. Genießen Sie Obst
in allen Variationen, mal mit Mandeln,
mal mit Calvados, mal mit Kokoschips. Und verwöhnen Sie damit doch
auch mal Gäste.

Pavlova

mit frischen Beeren und Pistazien

Zutaten

6 Eiweiß
200 g feinster Zucker
1 Bio-Zitrone
1 EL Speisestärke
250 g Sahne
500 g Erdbeeren
500 g Blaubeeren
40 g Pistazienkerne

1 Den Backofen auf 140 °C vorheizen. Die Eiweiße mehrere Minuten schlagen, bis sich weiche Spitzen bilden. Den Zucker portionsweise zugeben und unterrühen, bis das Eiweiß nach etwa 10 Minuten steif und glänzend ist.

2 Die Zitrone heiß waschen, abtrocknen und die Schale fein reiben. Die Zitrone auspressen. 1 EL Saft mit der Speisestärke verrühren, unter den Eischnee ziehen (restlichen Saft anderweitig verbrauchen).

3 Das Blech mit Backpapier auslegen. Die Eiweißmasse zu einem etwa 3 cm hohen Rund ausstreichen, dabei in der Mitte eine Mulde formen. Das Baiser 1 Stunde backen. Den Ofen ausschalten und die Pavlova im warmen Ofen etwas Farbe annehmen lassen (das Innere des Baisers sollte dann etwas zäh, aber weich sein).

4 Inzwischen die Sahne schlagen und die Beeren verlesen und putzen. Die Pistazienkerne nach Belieben hacken.

5 Die Schlagsahne auf der Pavlova verstreichen und die Beeren daraufgeben. Mit dem Zitronenabrieb und den Pistazienkernen garnieren.

Bratäpfel

mit Vanilleeis

Zutaten

**4 große feste Bratäpfel,
z.B. Boskoop**
**4 EL Sherry
(z.B. Amontillado)**
8 getrocknete Datteln
**3 EL getrocknete
Cranberries**
1 EL Vanillezucker
4 Kugeln Vanilleeis
2 EL Mandelblättchen

1 Den Backofen auf 190 °C vorheizen. Von den Äpfeln oben eine etwa 1 cm dicke Scheibe als Deckel abtrennen. Die Äpfel mit einem Messer entkernen. So viel vom Fruchtfleisch aus den Äpfeln schaben, dass ein Rand von ca. 1,5 cm stehen bleibt. Fruchtfleisch zur Seite stellen.

2 Das Innere der Äpfel mit Sherry beträufeln. Die Datteln und Cranberries ganz fein hacken, das Fruchtfleisch zerkleinern, alles mit dem Vanillezucker verrühren. Die Masse in die Äpfel füllen und die Deckel auflegen.

3 Die Äpfel auf das Blech setzen. Je nach verwendeter Sorte 15–20 Minuten backen, bis das Fruchtfleisch schon weich ist, die Äpfel aber noch Stand haben. Jeden Apfel mit einer Kugel Vanilleeis und Mandelblättchen bestreut servieren.

Blech-Tipp

Sollte kein Vanilleeis im Haus sein, können Sie stattdessen auch 150 g Schmand mit 1 Messerspitze Zimt und 3 EL Puderzucker cremig rühren und zu den Bratäpfeln servieren.

Pflaumen-Crumble

mit selbst gemachten Kokoschips

Zutaten

1 Kokosnuss
1,5 kg Pflaumen oder
Zwetschgen
100 ml Kokosmilch
150 g kalte Butter
50 g Zucker
250 g Mehl

1 Den Backofen auf 200 °C vorheizen. In die Augen der Kokosnuss fest mit einem Schraubenzieher bohren, bis sie durchstoßen sind. Das Kokoswasser abgießen.

2 Die Kokosnuss auf das Blech legen und etwa 10 Minuten im Ofen backen, bis sich an der Schale Risse zeigen. Die Kokosnuss aus dem Ofen nehmen, den Ofen eingeschaltet lassen. Gleichmäßig mit einem Hammer rundherum auf die Kokosnuss schlagen, bis die äußere Schale abspringt. Sollte sich noch braune Haut an der Kokosnuss befinden, diese mit einem Sparschäler entfernen. Eine Hälfte der Kokosfleischs fein reiben, die andere Hälfte mit dem Sparschäler zu dünnen Streifen abziehen. Die Streifen auf das Blech legen und einige Minuten im Ofen rösten.

3 Inzwischen die Pflaumen oder Zwetschgen entsteinen und grob hacken. Die Kokosstreifen aus dem Ofen nehmen, gegebenenfalls in kleinere Stücke brechen (sie dienen zur Dekoration). Das Obst auf dem Blech verteilen. Die Kokosmilch mit 3 EL Kokosraspeln verrühren und darübergießen (die restlichen Kokosraspel werden nicht benötigt und können wie ungeröstete Kokosstreifen eingefroren werden). 5 Minuten backen.

4 In der Zwischenzeit zunächst den Zucker und dann das Mehl zügig per Hand in die Butter einarbeiten und mit den Fingern zu Streuseln reiben. Die Streusel über die Früchte streuen und den Crumble etwa 20 Minuten goldbraun backen. Den Crumble mit den gerösteten Kokoschips bestreuen.

Blech-Tipp

Verwenden Sie nur frische Kokosnüsse. Wenn Sie beim Schütteln der Kokosnuss das darin enthaltene Kokoswasser plätschern hören können, ist sie frisch. Hören Sie kein Geräusch, ist die Frucht überreif und sollte nicht mehr verzehrt werden. Das Kokoswasser können Sie nach Belieben auffangen und trinken.

Herbstobst

mit Calvados und Orangen-Ricotta

Zutaten

1 kg Äpfel
1 Bio-Orange
50 ml Calvados
2 EL Honig
250 g Ricotta
3 EL Zucker
3 EL Mandelblättchen

1 Den Backofen auf 180 °C vorheizen. Die Äpfel schälen, vierteln und vom Kerngehäuse befreien. Die Orange heiß waschen, abtrocknen und die Schale fein reiben. Den Saft auspressen, mit Calvados und Honig verrühren. Die Apfelviertel auf dem Blech auslegen, mit der Flüssigkeit beträufeln, mit Alufolie abdecken und etwa 20 Minuten backen, bis sie weich sind.

2 Inzwischen den Ricotta etwas abtropfen lassen. Dann mit dem Orangenabrieb und dem Zucker verrühren. Die Alufolie entfernen. Den Ricotta teelöffelweise auf den Äpfeln verteilen und die Mandelblättchen darüberstreuen. Noch einige Minuten backen, bis der Ricotta erwärmt ist und die Mandelblättchen ein bisschen Farbe angenommen haben.

Blech-Tipp

Statt mit Äpfeln gelingt das Rezept auch wunderbar mit Quitten. Sie sind das klassische Herbstobst und auf den Wochenmärkten mittlerweile wieder gut zu bekommen. Eine Weile waren sie in Vergessenheit geraten, denn ihre Verarbeitung benötigt etwas Zeit. Sie müssen geschält und entkernt werden. Die Backzeit verlängert sich um etwa 20 Minuten.

Tarte Tatin

mit karamellisierten Aprikosen

Zutaten

**1 Pkg. Blätterteig
aus dem Kühlregal
1,2 kg Aprikosen
80 g Butter
3 EL Zucker**

1 Den Backofen auf 220 °C vorheizen. Den Blätterteig aus der Kühlung nehmen. Die Aprikosen halbieren und entsteinen. Den Boden des Backblechs mit Butter einfetten und mit Zucker bestreuen. Das Blech einige Minuten in den Ofen geben, bis der Zucker karamellisiert.

2 Die Aprikosen mit der Schnittseite nach unten passend für das Format des Blätterteigs auf dem Blech auslegen. 5 Minuten backen.

3 Dann den Blätterteig entrollen, über das Obst legen und fest andrücken. Den Teig mehrmals mit einer Gabel einstechen und etwa 20 Minuten backen, bis der Teig knusprig aufgegangen ist.

4 Zum Servieren die Tarte stürzen, sodass die Aprikosen oben sind. Dazu passt Vanilleeis.

Blech-Tipp

Ganz anders, aber auch sehr lecker schmeckt die Tarte mit Äpfeln und Rosinen, so, wie sie einst der Legende nach als kleiner Küchenunfall auch entstanden ist.

Dip it, Baby!

Cremig, würzig, sahnig
und einfach lecker sind
Dips und Saucen, die Sie zum
Verfeinern Ihrer Ofenkreationen
verwenden können. Sie sind
raffiniert, vielseitig kombinier-
bar und dabei ratzfatz
selbst gemacht.

Feta-Honig-Dip

Zutaten
1 kleine (frische)
Knoblauchzehe
3 Frühlingszwiebeln
4 Stängel Zitronen-
thymian
200 g Feta
3 EL Sahne
1 EL Honig
Salz und schwarzer
Pfeffer aus der Mühle
1 Msp. Chilipulver

1 Die Knoblauchzehe abziehen und fein hacken. Die Frühlings-zwiebeln putzen und in feine Röllchen schneiden. Den Zitro-nenthymian kalt abbrausen und trocken schütteln. Die Blättchen abrebeln.

2 Alles mit den restlichen Zutaten zu einer cremigen Masse verrühren.

Tipp

Sie können jeden Honig ver-wenden. Falls er nicht flüssig ist und sich deshalb schwer unter-rühren lässt, erwärmen Sie ihn einfach kurz in einem Töpfchen.

Auberginen-Dip

Zutaten
1 mittelgroße Aubergine
1 kleine Knoblauchzehe
1 Schalotte
1 kleines Bund glatte
Petersilie
2 EL Olivenöl
1 Bio-Zitrone
½ TL geräuchertes
Chilipulver
½ TL Kreuzkümmelpulver
Salz und schwarzer
Pfeffer aus der Mühle

1 Den Backofen auf 180 °C vorheizen. Die Aubergine gleichmäßig mit einer Gabel einstechen. Auf ein Backblech legen, etwa 30 Minuten backen, bis die Haut dunkelbraun ist. Etwas abkühlen lassen, dann halbieren. Das Fruchtfleisch herausschaben.

2 Inzwischen die Knoblauch-zehe und die Schalotte abziehen und fein hacken. Die Petersilie kalt abbrausen und trocken schütteln. Die Blätter fein, die Stängel grob hacken. Knoblauch, Schalotte und Petersilie mit dem Olivenöl glatt pürieren.

3 Zitrone heiß waschen, abtrocknen, Schale abreiben. Unter das Öl rühren. Die Zitrone auspressen, den Saft ebenfalls unter das Öl rühren und auf-schäumen, bis es emulgiert.

4 Auberginenmus sowie Chili- und Kreuzkümmelpulver unter-rühren (je nach gewünschter Konsistenz mit einem Pürier-stab) und den Dip mit Salz und Pfeffer würzen.

Radieschen-Dip

Zutaten
1 Bund knackige Radies-chen mit frischem Grün
1 kleines Bund Dill
200 g griechischer
Joghurt (Fettstufe 10 %)
3 EL Schmand oder
Crème fraîche
Salz und schwarzer
Pfeffer aus der Mühle

1 Die Radieschen putzen und fein würfeln. Das Grün fein hacken.

2 Den Dill kalt abbrausen, die Spitzen abzupfen und fein hacken.

3 Alles mit den restlichen Zutaten verrühren, mit Salz und Pfeffer pikant abschmecken und mehrere Stunden durchkühlen lassen.

Kichererbsen-Dip

Zutaten
1 große Möhre
2 EL gekörnte Brühe
1 Bio-Orange
200 g gegarte Kicher-
erbsen
1 Knoblauchzehe
1 Msp. Chiliflocken
3 EL Olivenöl
Salz und schwarzer
Pfeffer aus der Mühle

1 Die Möhre schälen und
hacken. Die gekörnte Brühe
in 100 ml Wasser aufkochen
lassen. Die Möhrenstückchen
einlegen, abgedeckt 10 Minuten
weich garen.

2 Die Orange heiß waschen
und abtrocknen. Die Schale
abreiben und den Saft auspressen. Beides unter die Möhren
rühren.

3 De Kichererbsen abtropfen
lassen. Ebenfalls unterrühren
und alles mit dem Pürierstab
glatt pürieren.

4 Die Knoblauchzehe abziehen,
fein hacken und zusammen mit
den restlichen Zutaten unterrühren. Abschmecken. Ist die
Mischung noch etwas zu flüssig,
bei leichter Hitze ohne Deckel
etwas einkochen lassen.

Schmand-Dip

Zutaten
1 Schalotte
1 Knoblauchzehe
4 Stängel frischer Dill
2 Stängel glatte Petersilie
250 g Schmand
Salz und schwarzer
Pfeffer aus der Mühle

1 Die Schalotte und die
Knoblauchzehe abziehen und
fein hacken. Den Dill und die
Petersilie kalt abbrausen, die
Blättchen abzupfen und fein
hacken.

2 Alles mit dem Schmand
verrühren, salzen und pfeffern.
Mindestens 5 Stunden durchkühlen lassen.

Meerrettich-Apfel-Sauce

Zutaten
2 Kochäpfel
1 EL Butter
1 EL Zucker
Schale von 1 Bio-Zitrone
2 EL geriebener
Meerrettich (frisch
oder aus dem Glas)
Salz und schwarzer
Pfeffer aus der Mühle

1 Die Äpfel halbieren, vom
Kerngehäuse befreien, schälen
und grob hacken. Mit 2 EL

Wasser, Butter und Zucker in
einem Topf aufsetzen, einmal
aufwallen lassen, dann etwa
5 Minuten weich kochen.

2 Zitronenschale und Meerrettich unterrühren, alles glatt
pürieren. Mit Salz und Pfeffer
abschmecken.

Zucchinisauce

Zutaten
300 g Zucchini
1 Knoblauchzehe
4 EL Olivenöl
3 Anchovis guter Qualität
100 g Feta
Salz und schwarzer
Pfeffer aus der Mühle

1 Zucchini putzen, fein raspeln
und beiseitestellen. Knoblauchzehe abziehen und fein hacken.

2 2 EL Olivenöl in einer Pfanne
erhitzen. Knoblauch und Anchovis erwärmen und so lange
rühren, bis die Anchovis weich
sind und sich gut verrühren
lassen.

3 Die Zucchiniraspel unterrühren, das restliche Olivenöl
untermischen. Etwas durch-
ziehen lassen.

4 Den Feta zerbröseln und
unterrühren. Abgedeckt noch
einige Minuten garen, bis er
weich wird. Salzen und pfeffern.

Register

Über die Autorin

29 Kochbücher hat Food- und Reiseautorin **Gabriele Gugetzer** mittlerweile geschrieben. Dabei lernte sie das Kochen erst im Alter von 25 Jahren, in Südkalifornien. Da sie keinesfalls unter Heimweh litt, brachte sie sich die neue kalifornische Küche bei – leicht, lecker und gesund. Nach weiteren beruflichen Stationen in London, München und Köln lebt sie mittlerweile in Hamburg. Gabriele Gugetzer ist ebenso leidenschaftliche Büchermacherin wie passionierte Reisende und hat als Reisejournalistin viele Ecken der Welt bereist, zwischen Melbourne, dem Mölltal und dem argentinischen Weinviertel Mendoza. Sie schreibt für Zeitschriften wie *Grazia, Meine Gute Landküche* und *BEEF!* und war bei der Zeitschrift *Martha Stewart Living* in den letzten drei Jahren zuständig für die Ressorts Food und Reise.

Impressum

Genehmigte Lizenzausgabe für Weltbild GmbH & Co. KG, Werner-von-Siemens-Str. 1, 86159 Augsburg
Copyright © 2018 BLV Buchverlag GmbH & Co. KG, München

Alle Rechte vorbehalten

Bildnachweis
Foodfotografie und Foodstyling: Tina Bumann
Hintergrund: Thinkstock / ajafoto
Foto S. 128: Uwe Tölle
Icon Küchenutensilien: Fotolia / fad 82

Umschlaggestaltung: Maria Seidel, atelier-seidel.de
Covermotiv: Stockfood / Photo Cuisine / Jean-Claude Amiel

Lektorat: Stella Rahn, Cornelia Schmidt
Herstellung: Angelika Tröger
Layoutkonzept Innenteil: griesbeckdesign, Dorothee Griesbeck, München
DTP: griesbeckdesign, Dorothee Griesbeck, München

Druck und Bindung: Typos, tiskařské závody, s.r.o., Plzeň
Printed in the EU.

978-3-8289-2917-3

2021   2020   2019
Die letzte Jahreszahl gibt die aktuelle Lizenzausgabe an.

Einkaufen im Internet:
www.weltbild.de

Hinweis
Das vorliegende Buch wurde sorgfältig erarbeitet. Dennoch erfolgen alle Angaben ohne Gewähr. Weder Autorin noch Verlag können für eventuelle Nachteile oder Schäden, die aus den im Buch vorgestellten Informationen resultieren, eine Haftung übernehmen.